Colega

Libro del alumno 1

María Luisa Hortelano
Elena G. Hortelano
María José Lorente

Usa este código para acceder al
LIBRO DIGITAL
y al
BANCO DE RECURSOS
disponibles en

Ē digital
LE
www.anayaeledigital.es

1.ª edición: 2009
18.ª impresión: 2023

© Edelsa Grupo Didascalia, S.A. Madrid, 2009.

Directora del proyecto y coordinadora del equipo de autores: María Luisa Hortelano.
Autoras: María Luisa Hortelano, Elena González Hortelano, María José Lorente.
Dirección y coordinación editorial: Departamento de Edición de Edelsa.
Diseño de cubierta: Departamento de Imagen de Edelsa.
Diseño y maquetación de interior: Carolina García.
Ilustradora: Estrella Fages

ISBN: 978-84-7711-650-9   ISBN Pack (alumno + ejercicios): 978-84-7711-656-1
Depósito Legal: B-29764-2011
Impreso en España / Printed in Spain

Las autoras quieren expresar su agradecimiento a la Consejería de Educación en el Reino Unido e Irlanda y muy especialmente a las siguientes personas:

- José Antonio del Tejo, consejero de Educación, por el asesoramiento, apoyo y facilitación de documentos relacionados con la situación de la enseñanza del español en este país, y por ponernos en contacto con las orientaciones del Ministerio de Educación inglés sobre la nueva estrategia para la enseñanza de las lenguas en Primaria, la propuesta curricular de la QCA (Qualifications and Currículo Authority) o instituciones relevantes en la enseñanza de lenguas, como NACELL y CILT, que tan útiles nos fueron en los estadios de investigación y estudio previos a la elaboración de los materiales que componen este método.

- Las asesoras técnicas de la Consejería de Educación del Reino Unido e Irlanda por su atención siempre cordial y atenta; en especial a Inmaculada Naranjo, cuyo taller con Emilia Sánchez (ambas también autoras de materiales para Educación Primaria) nos dio a conocer la estupenda recopilación de folclore popular infantil realizada por Carmen San Andrés; a Laura Romero Chust e Isabel Rubio Pérez, responsables de la edición de la revista *Acti/España* publicada por la Consejería de Educación en el Reino Unido e Irlanda, por permitirnos una adaptación de la actividad ¿Qué prefieres, ratita? (*Acti/España* 11) elaborada por la auxiliar de conversación Nuria Hoya Santos; a Lucila Benítez y Mª José Egusquiza, asesoras técnicas y autoras a su vez de materiales para la enseñanza del español para niños (*Aprendo español con cuentos*. SGEL) y a María Teresa Rodríguez, responsable del Centro de Recursos.

- La genial profesora británica de español Sheila Grady, auténtica y genuina fuente de inspiración de algunas de las actividades que aparecen en el método, como la canción *Me gusta toda la fruta* de la unidad 6. Conocimos a Sheila asistiendo a sus talleres en la celebración anual de los *Spanish Workshops* organizados por la Consejería de Educación, referente y punto de encuentro de la enseñanza del español en el Reino Unido.

Queremos también expresar nuestro sincero agradecimiento a los profesores de Primaria y compañeros de ALCE, cuyos comentarios y críticas tan útiles nos han sido tanto en las sucesivas ediciones de *La Pandilla* como en la elaboración de este nuevo método, *Colega*. Gracias a Criscelia Barbas, Amparo Peris, Gabriel Castro, Tomás Madrid, Juan Carlos Gradé, Mª José Lorente, Txema Martínez, Almudena Bermúdez, Dina Helguera, Regina Couceiro, Sento Marco... y de un modo muy especial a nuestro entusiasta compañero Paco Palazón, experto en la enseñanza de lenguas. Y a los colegios públicos Infanta Cristina de Puente Tocinos (Murcia) y Aldebarán de Tres Cantos (Madrid).

Gracias también a Carlos Velázquez y a Marily Troyano, profesores en centros británicos, que nos permitieron visitar sus escuelas y nos asesoraron sobre el uso de recursos como las pizarras interactivas. A Vanesa Little, responsable de la formación del profesorado de lenguas modernas en el Royal Borough of Kensington and Chelsea por permitirnos asistir a diversas jornadas de formación en las que pudimos analizar las necesidades que expresaba este profesorado.

CD audio: Locuciones y Montaje Sonoro ALTA FRECUENCIA MADRID 915195277 altafrecuencia.com
Voces de la locución: Juani Femenía, Arantxa Franco y Elena González. Cantantes/coros: Arantxa Franco y Fran Cruz.
Autoría/composición/arreglos musicales: Fran Cruz.

Notas:
- La editorial Edelsa ha solicitado los permisos de reproducción correspondientes y da las gracias a todas aquellas personas e instituciones que han prestado su colaboración.
- Las imágenes y los documentos no consignados más arriba pertenecen al Departamento de Imagen de Edelsa.
- Cualquier forma de reproducción de esta obra solo puede ser realizada con la autorización de la editorial, salvo excepción prevista por la ley. Diríjase a CEDRO (Centro Español de Derechos Reprográficos, www.cedro.org) si necesita fotocopiar o escanear algún fragmento de esta obra.

Índice

UNIDAD **1** ¡Hola!

página 4

UNIDAD **2** Cantar y jugar

página 14

UNIDAD **3** Ven a mi fiesta

página 24

UNIDAD **4** Mi cuerpo

página 34

UNIDAD **5** Érase una vez...

página 44

UNIDAD **6** Me gusta la fruta

página 54

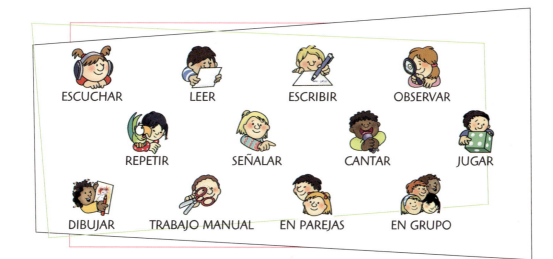

¡Hola!

UNIDAD 1

1. Escucha, repite y señala.

EL ESPAÑOL EN EL MUNDO

2. Escucha y canta.

— Hola, España,
hola, Argentina,
hola, ¿qué tal? (2)

— Hola, buenos días. (2)
¿Cómo estás? (2)

— Yo bien, gracias. (2)
¿Cómo estás tú? (2)
Hola, Venezuela,
hola, Perú.

Música de Frère Jacques

4 *cuatro*

¿Cómo estás?

LECCIÓN 1

3.   **Escucha y repite.**

UNIDAD 1

¿Cómo te llamas?

1.  **Escucha y juega.**

¿Cómo te llamas?
¿Cómo te llamas?
¿Cómo te llamas?
¿Cómo te llamas tú?

Música de Nice One Cyril

Yo me llamo Colega.

2.  **Escucha y canta.**

José se llama el padre.
Josefa, la mujer
y tienen un hijito
que se llama… (2)

Martín se llama el padre.
Martina, la mujer
y tienen un hijito
que se llama… (2)

Manuel se llama el padre.
Manuela, la mujer
y tienen un hijito
que se llama… (2)

6 seis

Mi familia

LECCIÓN 2

3. **Escucha, lee y repite.**

LA FAMILIA DE RUBÉN

Esta es mi abuela.

Esta es mi madre.

Esta es mi hermana.

Este es mi abuelo.

Este es mi padre.

Este es mi hermano.

Este soy yo.

siete 7

UNIDAD 1

El abecedario

1.  **Escucha, canta y aprende.**

8 ocho

¿Cómo se escribe?

LECCIÓN

2.  **Practica con tus compañeros.**

3. **Haz tu abecedario.**

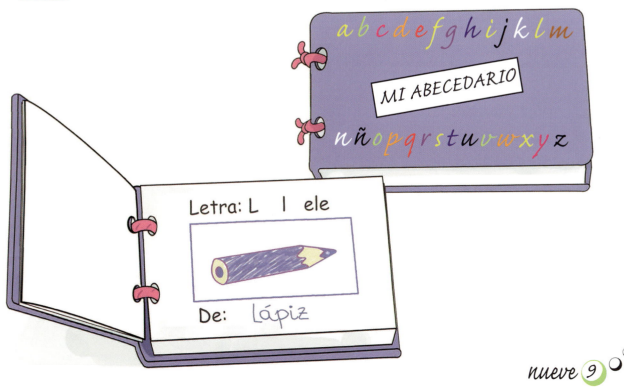

UNIDAD 1

Los números

1.   **Escucha, lee y aprende.**

cero   uno   dos   tres   cuatro   cinco

seis   siete   ocho   nueve   diez

2.   **Escucha y canta.**

Dos manitas,
diez deditos,
dos manitas,
diez deditos,
dos manitas,
diez deditos.
Cuéntalos conmigo:
Uno, dos, tres...

10 diez

Tengo siete años

LECCIÓN 4

¿CUÁNTOS AÑOS TIENES?

3. Practica con tus compañeros.

Yo tengo siete años.

Yo tengo ocho años.

4. Juega.

¡BINGO!

1	2	3	4	5
6	7	8	9	10

once 11

UNIDAD 1

Y AHORA...

1.  **Escribe y dibuja.**

NOS PRESENTAMOS

ANA

¡Hola! Me llamo Ana. Mi nombre se escribe: A-ene-a. Tengo siete años. Mi mamá se llama Laura. Mi papá se llama Ángel. Tengo dos hermanos: Rubén y Pablo. Pablo tiene cinco años. Rubén tiene ocho años.

2. **Graba tu presentación.**

Hola. Me llamo Ana: A-ene-a. Tengo siete años...

12 doce

NUESTRO PROYECTO

3.  **Vemos nuestras presentaciones.**

4. **Las enviamos a una escuela-amiga.**

trece 13

Cantar y jugar

UNIDAD 2

1.  **Escucha, aprende y canta.**

EL ROCK DE LA OVEJITA

Rock, rock, rock de la ovejita,
rock, rock, rock de la ovejita.

Tengo, tengo, tengo,
tú no tienes nada,
tengo tres ovejas
en una cabaña.

Rock, rock, rock de la ovejita,
rock, rock, rock de la ovejita.

Una me da leche,
otra me da lana,
y otra me da queso
para la SEMANA:

Rock, rock, rock de la ovejita,
rock, rock, rock de la ovejita.

14 catorce

Cantar y contar

LECCIÓN 1

2. **Escucha, lee y repite.**

la leche   la lana   el queso   la cabaña

3. **Observa y aprende.**

una oveja   tres oveja**s**

una cabaña   dos cabaña**s**

Repasamos

1	2	3	4	5	6	7	8	9	10
uno	dos	tres	cuatro	cinco	seis	siete	ocho	nueve	diez

4. **Escucha, lee y repite.**

MÁS NÚMEROS

on**ce**   do**ce**   tre**ce**   cator**ce**   quin**ce**

quince 15

UNIDAD 2

¡En español!

1.  **Aprende y practica.**

escucha   lee   repite   mira   escribe   silencio

16 dieciséis

Cosas de clase

LECCIÓN 2

2. **Escucha, lee y aprende.**

un lápiz

un cuaderno

una goma

una pizarra

un sacapuntas

un libro

un estuche

una cartera

una regla

una pintura

3. **Practica con tu compañero.**

¿Me dejas un lápiz?
Gracias.
Sí, toma.
¿Me dejas un sacapuntas?
Lo siento, no tengo.

4. **El juego de AMANDA MANDA.**

levantaos

sentaos

cerrad

abrid

tocad

señalad

diecisiete 17

Juegos de palmas

UNIDAD 2

1.   **Escucha, aprende y juega.**

Pon, gallinita, pon,
pon, gallinita, un huevo,
pon, gallinita, pon,
pon, gallinita, dos,
pon, pon.

Pon

gallinita

un huevo

gallinita

un huevo

Pon

2. **Escucha, lee y repite.**

HUEVOS DE COLORES

  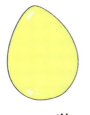   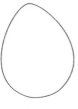 

rojo   verde   amarillo   azul   negro   blanco   marrón

Juegos de palmas y pasillo

LECCIÓN 3

3. **Escucha, aprende y juega.**

EL JARDÍN DE LA ALEGRÍA

Al jardín de la alegría
quiere mi madre que vaya
a ver si me sale novio
en lo más bonito de España.

Vamos los dos, los dos, los dos,
vamos los dos en compañía,
vamos los dos, los dos, los dos,
al jardín de la alegría.

Repasamos

10	**11**	**12**	**13**	**14**	**15**
diez	once	doce	trece	catorce	quince

4. **Escucha y repite.**

MÁS NÚMEROS

16	**17**	**18**	**19**	**20**
dieciséis	**dieci**siete	**dieci**ocho	**dieci**nueve	veinte

diecinueve

Juegos de mesa

UNIDAD 2

1. Juega con tus compañeros.

El juego del cuaderno

LECCIÓN 4

INSTRUCCIONES

Número de jugadores: 4

Necesitas:

un tablero

un dado

4 fichas

Mi color es _____
1. _____ 2. _____
3. _____ 4. _____
5. _____ 6. _____

papel y lápiz

1. **Elige un color y escríbelo en tu papel:**

   Mi color es __amarillo__

2. **Tira el dado.**

3. **Mueve tu ficha:**

4. **¿Es tu color?** → **Escribe en tu papel.**
   ¿No es tu color? → **No escribes.**

   1. __una regla__

5. **Tira el dado.**

6. **GANA el jugador que primero escribe las 6 cosas de clase de su color:**

   Mi color es __amarillo__
   1. una regla   2. un lápiz
   3. una goma   4. un estuche
   5. una mochila 6. un sacapuntas

veintiuno 21

Y AHORA...

UNIDAD 2

TALLER: JUEGOS DE PATIO
del mundo hispano.

La Rayuela

Uno, dos, tres... Ronda, ronda, quien no se haya escondido que se esconda, que ¡ya voy!

El escondite

Las chapas

Los bolos

Los zancos

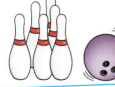

NUESTRO PROYECTO

El pañuelo

La comba

Un, dos, tres y cuatro,
Margarita tiene un gato
con las orejas de trapo
y los ojos de cristal.

La zapatilla por detrás

A la zapatilla por detrás, tris, tras,
ni la ves ni la verás, tris, tras.
Mirad arriba, que caen judías,
mirad abajo, que caen garbanzos.
¡A dormir, a dormir que vienen los
Reyes Magos!

¡Vale!

¿Jugamos a los bolos?

Yo prefiero jugar a los zancos.

Y tú, ¿qué juego prefieres?

UNIDAD 3

Ven a mi fiesta

1. Canta.

LOS MESES

Uno de enero,
dos de febrero,
tres de marzo,
cuatro de abril,
cinco de mayo,
seis de junio,
siete de julio,
¡San Fermín!

2. Escucha y repite.

Enero.

3. Escucha y señala.

ENERO

lunes	martes	miércoles	jueves	viernes	sábado	domingo
1 uno	2 dos	3 tres	4 cuatro	5 cinco	6 seis	7 siete
8 ocho	9 nueve	10 diez	11 once	12 doce	13 trece	14 catorce
15 quince	16 dieciséis	17 diecisiete	18 dieciocho	19 diecinueve	20 veinte	21 veintiuno
22 veintidós	23 veintitrés	24 veinticuatro	25 veinticinco	26 veintiséis	27 veintisiete	28 veintiocho
29 veintinueve	30 treinta	31 treinta y uno				

Mi cumpleaños

LECCIÓN 1

¿Cuándo es tu cumpleaños?

4.  **Lee y practica.**

Mi cumpleaños es el 27 de noviembre.

Mi cumpleaños es en enero.

5. **Practica con tus compañeros.**

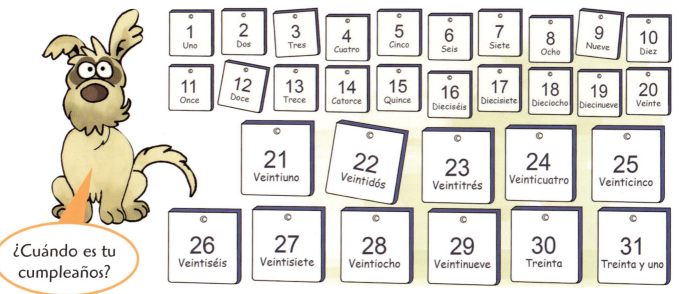

¿Cuándo es tu cumpleaños?

veinticinco 25

UNIDAD 3

Preparo mi fiesta

1.   **Escucha.**

 LA COCINA   el frigorífico

Esta es mi casa. Tiene una cocina, un salón, un baño, un jardín y un garaje. Este es mi dormitorio.

la cama

EL DORMITORIO

la mesilla

2. **Observa.**

NOMBRE: ....Julia........
Te invito a mi fiesta de cumpleaños
LUGAR: Mi casa
FECHA: El 27 de noviembre
HORA: Las cuatro
Te espero
Ana

rosa

morado   naranja

gris

26 veintiséis

El patio de mi casa

LECCIÓN 2

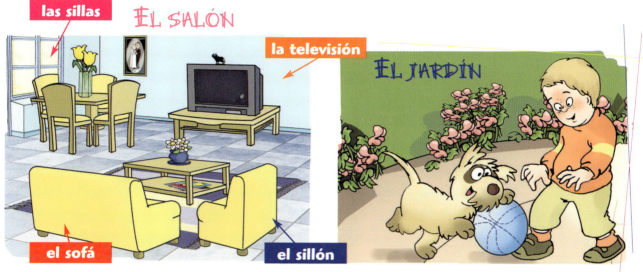

3.  **Escucha, canta y juega.**

El patio de mi casa es particular,
cuando llueve se moja como los demás,
agáchate y vuélvete a agachar,
que los agachaditos no saben bailar.

H I J K L M N A

Que si tú no me quieres,
otro niño me querrá.

veintisiete 27

UNIDAD 3

¡Feliz cumpleaños!

1.  **Escucha y canta.**

Cumpleaños feliz, cumpleaños feliz,
te deseamos todos cumpleaños feliz.

2. **Escucha.**

28 veintiocho

¿Qué sabes hacer?

LECCIÓN 3

3. **Lee.**

4. **Escucha y repite.**

UNO	DOS	TRES
Yo sé leer.	Yo sé bailar.	Yo sé ladrar.
CUATRO	CINCO	SEIS
Yo sé hacer la cama.	Yo sé cantar.	Yo sé tocar la guitarra.

5. **Habla con tus compañeros.**

¿Sabes nadar? Sí   No   No muy bien

nadar   saltar a la comba   jugar al fútbol   montar en bici

veintinueve 29

Nos divertimos

UNIDAD 3

ME GUSTA

1.   **Escucha y numera.**

2. **Bingo-acción.**

¡BINGO!

leer	bailar	nadar
hacer la cama	montar en bici	cantar
saltar a la comba	tocar la guitarra	jugar al fútbol

30 treinta

Preguntar y pedir permiso

LECCIÓN 4

3.   **Escucha el diálogo.**

– ¿Jugamos al fútbol?
– Yo prefiero saltar a la comba.
– Sí, vale.

– ¿Puedo jugar al fútbol, por favor?
– Sí.

4. **Practica con tus compañeros.**

– ¿Puedo jugar a ....*la comba*...., por favor?
– Sí.
– No, lo siento.

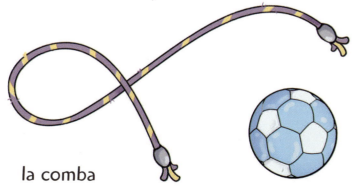

la comba

la pelota

la peonza

las canicas

treinta y uno 31

UNIDAD 3

Y AHORA...

¡FELICITAMO

1.  **Agenda de cumpleaños.**

1) Tres folios de colores.

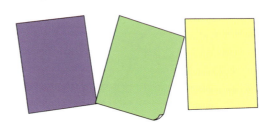

2) Cortar en cuatro trozos.

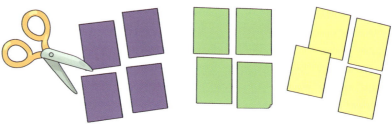

3) Hacer portada con cartulina.

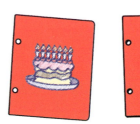

4) Montar la agenda.

5) En cada página poner: mes (por orden), foto, nombre y día.

32 treinta y dos

NUESTRO PROYECTO

¡EN ESPAÑOL!

2. Tarjeta de felicitación.

1) Consultamos la agenda.

2) Hacemos la tarjeta.

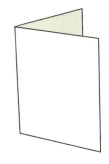
cartulina blanca

hacemos un dibujo

lo adornamos con papel de seda y pegatinas

treinta y tres 33

Mi cuerpo

UNIDAD 4

1. Escucha y señala.

- la cabeza
- los dedos
- la mano
- el cuello
- el codo
- el brazo
- la pierna
- la cola
- la rodilla
- la pata
- el pie
- los dedos

2. El juego de AMANDA MANDA.

tocaos el pie   tocaos la cabeza   tocaos el codo

34 treinta y cuatro

Las partes del cuerpo

LECCIÓN 1

3.  **Escucha, canta y juega.**

ASÍ BAILA JUAN PEQUEÑO

Juan Pequeño baila, baila, baila, baila,
Juan Pequeño baila, baila con el «dedo».
Con el dedo, dedo, dedo.
Así baila Juan Pequeño.

Juan Pequeño baila, baila, baila, baila,
Juan Pequeño baila, baila con la «mano».
Con la mano, mano, mano,
con el dedo, dedo, dedo.
Así baila Juan Pequeño.

(codo, brazo, pie, pierna...).

4.  ¡BINGO!

treinta y cinco 35

Mi cara

1. **Escucha y recita.**

En mi cara redondita,
tengo ojos y nariz,
y también tengo una boca
para comer y reír.

Con los ojos veo todo,
con la nariz hago ¡atchííísss!,
y con la boca yo como
palomitas de maíz.

2. **Lee y aprende.**

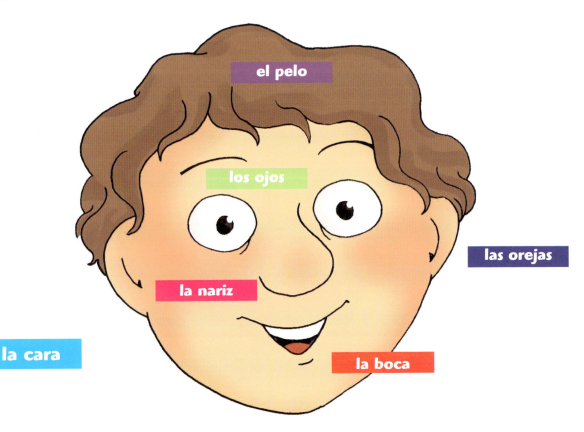

el pelo
los ojos
las orejas
la nariz
la cara
la boca

El retrato

LECCIÓN 2

3.   **Escucha y repite.**

pelo rubio   pelo castaño   pelo moreno

pelo corto   pelo largo

pelo liso   pelo ondulado   pelo rizado

nariz pequeña   nariz grande   orejas pequeñas   orejas grandes

boca pequeña   boca grande

treinta y siete 37

UNIDAD 4 — Soy así...

1.  **Escucha y lee.**

Soy un monstruo verde. Me llamo YESI. Tengo el pelo liso y moreno. Tengo tres ojos rojos, dos orejas grandes y dos pies grandes.

Yo me llamo YIRA. Soy naranja, verde y morada. Tengo el pelo rizado y castaño. Tengo un ojo azul, dos orejas pequeñas y cuatro pies pequeños.

Tengo el pelo marrón claro, cuatro patas y una cola.

38 treinta y ocho

Los monstruitos

LECCIÓN 3

2. Escucha y numera.

a.

b.

c.

3. Dictadodalí. Inventa un monstruo y descríbelo a tu compañero.

Tiene cuatro ojos...

treinta y nueve 39

Me visto

1.  **Escucha y canta.**

¿Qué me pongo hoy, qué me pongo hoy?
En la cabeza, ¿qué me pongo hoy?

Ponte, ponte el gorro. (bis)

¿Qué me pongo hoy, qué me pongo hoy?
En el cuerpo, ¿qué me pongo hoy?

Ponte la camisa. (bis)

¿Qué me pongo hoy, qué me pongo hoy?
En las piernas, ¿qué me pongo hoy?

Ponte pantalones. (bis)

¿Qué me pongo hoy, qué me pongo hoy?
En los pies, ¿qué me pongo hoy?

Ponte calcetines.
Ponte los zapatos.

2.  **Observa y lee.**

el gorro
la camisa
el pantalón
los zapatos
los calcetines

La ropa

LECCIÓN 4

3. **Escucha.**

Yo llevo un vestido y unas botas.

Yo llevo un jersey, una falda, unos guantes y unos leotardos.

Yo llevo una bufanda.

4.  **Habla con tus compañeros.**

Yo llevo...

un gorro

una camisa

unos guantes

unos calcetines

un pantalón

unos zapatos

unos leotardos

una falda

una bufanda

unas botas

un vestido

un jersey

cuarenta y uno 41

UNIDAD 4

Y AHORA...

ÉRASE UNA VEZ...

La mamá

El lobo

Caperucita y el lobo

El lobo y Caperucita

REPRESENTAMOS EL CUENTO

Abuelita, abuelita. ¡Qué ojos más grandes tienes!

Son para verte mejor.

Son para oírte mejor.

Abuelita, abuelita. ¡Qué orejas más grandes tienes!

42 cuarenta y dos

NUESTRO PROYECTO

CAPERUCITA ROJA

Érase una vez...

UNIDAD 5

1. **Escucha y lee.**

Entonces pasó por allí un gallo...

44 cuarenta y cuatro

La ratita presumida

LECCIÓN 1

... un cerdo... ... un burro... ... un pato... ... un gato...

Ratita, te pilla el gato,
ratita, te va a pillar,
si no te pilla esta noche,
mañana te pillará.

MORALEJA: Ratita, ratita, ¡no te cases con un gato!

cuarenta y cinco 45

UNIDAD 5 — ¿Qué es ese ruido?

1. **Aprende y juega.**

Ratita, ratita,
¿qué es ese ruido?
Es un gallo...
¡Escucha conmigo!

Ratita, ratita,
¿qué es ese ruido?
Es un perro...
¡Escucha conmigo!

Ratita, ratita,
¿qué es ese ruido?
Es un cerdo...
¡Escucha conmigo!

Ratita, ratita...

Kikirikí
un gallo

Guau, guau
un perro

Oink, oink
un cerdo

Ia, Ia
un burro

Cua, cua
un pato

Miau
un gato

2.  **Lee.**

Tiene la cola **corta**.
Tiene las orejas **pequeñas**.
Tiene el pelo **rizado**.

Tiene la cola **larga**.
Tiene las orejas **grandes**.
Tiene el pelo **liso**.

46 cuarenta y seis

¿Tienes mascota?

LECCIÓN 2

3.   **Observa y lee.**

Yo tengo un pájaro.
Se llama Pío.
Pío es amarillo.

Yo tengo un perro.
Mi perro se llama Colega.
Es marrón claro.

Yo tengo una tortuga.
Se llama Pancha.
Es marrón y verde.
Tiene las patas cortas.

Yo tengo un ratón.
Se llama Cito
y es pequeño.

Yo tengo una gata.
Mi gata se llama Zoa.
Zoa es blanca y negra.

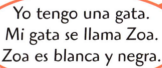

4. **Y tú... ¿tienes una mascota?**

 un perro

 un pájaro — un ratón

 un pez

 un gato

 una tortuga

 un hámster

cuarenta y siete 47

UNIDAD 5

Adivina, adivinanza

1. Escucha y lee. ¿Qué es?

Tiene ojos de gato,
y no es gato.

Tiene orejas de gato,
y no es gato.

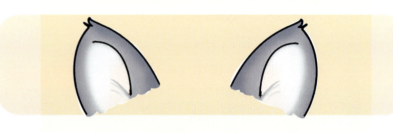

Tiene patas de gato,
y no es gato.

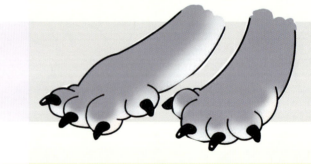

Tiene cola de gato
y no es gato.

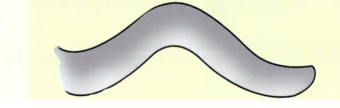

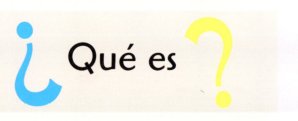

¿ Qué es ?

una gata

cuarenta y ocho

La gatita Carlota

LECCIÓN 3

2.   **Escucha y canta.**

Yo soy la gatita Carlota,
mi novio es el gato con botas,
él lleva un sombrero morado
y un abrigo colorado.

Micifú, Micifú,
por tu amor
yo estoy cucú.

- Buen día, gatita Carlota.
- Buen día, mi gato con botas.
Carlota es la novia del gato,
pero ella lleva zapatos.

Micifú, Micifú,
por tu amor
yo estoy cucú.

cuarenta y nueve 49

UNIDAD 5 — Animales salvajes...

1. Escucha y canta.

¿QUÉ VES AHÍ?

Oso marrón,
oso marrón,
¿qué ves ahí?
Un león naranja,
mirándome a mí.

León naranja,
león naranja,
¿qué ves ahí?
Un mono verde,
mirándome a mí.

Mono verde,
mono verde,
¿qué ves ahí?
Una jirafa azul,
mirándome a mí.

un oso
un león
una jirafa
un mono
un canguro
un elefante
un delfín
un cocodrilo
una ballena
un loro

50 cincuenta

¿Qué saben hacer?

LECCIÓN 4

2.  **Lee y aprende.**

nadar

volar

subir

saltar

correr

Los loros saben volar.

Los leones saben correr.

Las ballenas saben nadar.

Los monos saben subir a los árboles.

Los canguros saben saltar.

Las jirafas **no** saben volar.

Los elefantes **no** saben saltar.

cincuenta y uno 51

UNIDAD 5

Y AHORA...

1.  **Preparamos máscaras y pinturas para la cara.**

2. **Hacemos un decorado.** 3. **Ensayamos.**

¡Qué guapa está!

cincuenta y dos

NUESTRO PROYECTO

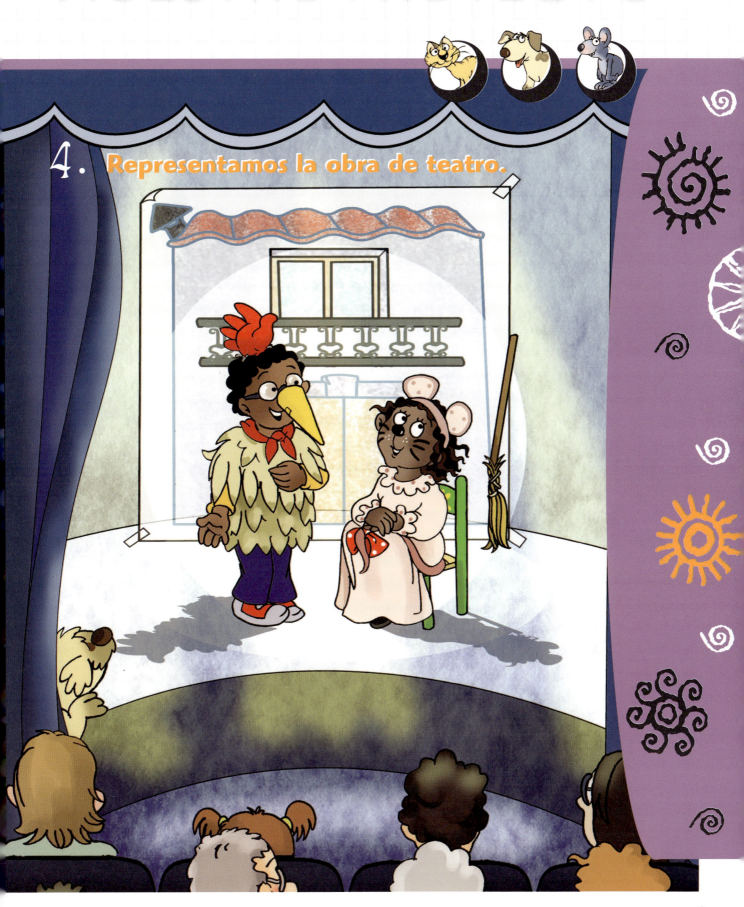

4. Representamos la obra de teatro.

cincuenta y tres 53

UNIDAD 6

Me gusta la fruta

1.  **Escucha y canta.**

Me gusta toda la fruta,
plátano, piña, uva, fresa.

Me gusta toda la fruta,
plátano, piña, uva, fresa.

Manzana, naranja, pera,

melocotón y ciruela,

melón, sandía, cereza,

plátano, piña, uva, fresa.

Toda la fruta,
me gusta toda la fruta,
toda la fruta,
me gusta toda la fruta.

Música de Guantanamera

54 *cincuenta y cuatro*

Bingo-fruta

LECCIÓN 1

2. **Juega al bingo-fruta.**

la manzana

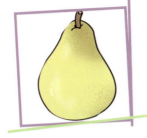
la pera

la naranja

las uvas

las cerezas

los plátanos

el kiwi

las fresas

la piña

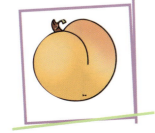
la sandía

el melocotón

las ciruelas

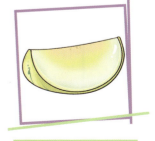
el melón

cincuenta y cinco 55

UNIDAD 6 — ¡Me encanta!

1. Escucha y lee.

¿Qué quieres?

LECCIÓN 2

2. **Lee y aprende. Representa con tus compañeros.**

cincuenta y siete 57

UNIDAD 6 — Tengo un huerto

1.  **Lee y observa.**

Tengo un huerto en mi jardín.

2. **Escucha y repite.**

la lechuga   los pimientos   los tomates   las zanahorias

la cebolla   las patatas   los pepinos   las judías

58 cincuenta y ocho

Las plantas

LECCIÓN 3

3. **Observa y aprende.**

EL CICLO DE VIDA DE LAS PLANTAS

4. **Observamos el ciclo de una planta.**

Ciclo de las PLANTAS
día   ¿qué pasa?

cincuenta y nueve 59

El señor Maceta

UNIDAD 6

1. **Observa y aprende.**

¡Vamos al mercado!

LECCIÓN 4

2.  Lee.

¿Cuánto cuestan las manzanas?

- Un kilo de manzanas cuesta 3 euros.
- Una botella de agua cuesta 1 euro.
- Un litro de zumo cuesta 2 euros.

3. Practica y representa.

 ¿Qué desea?
 Un kilo de tomates.
 Aquí tiene. ¿Algo más?
 Sí. Zumo de naranja.
 Aquí tiene. ¿Algo más?
 Nada más. ¿Cuánto es?
 Cinco euros.

sesenta y uno 61

UNIDAD 6

Y AHORA...

HACEMOS UNA

1. **Ingredientes:**

   - Diferentes tipos de frutas:
       manzana, pera, plátano,
       fresas, melocotón, piña...

   - Zumo de naranja.

   - Almíbar o azúcar.

2. **Pasos:**

   1. Corta la fruta en trocitos.

   2. Haz zumo de naranja.

   3. Mezcla los trocitos de fruta con el zumo.

   4. Añade azúcar o almíbar.

62 sesenta y dos

NUESTRO PROYECTO

MACEDONIA DE FRUTAS

3. Y... ¡A merendar!

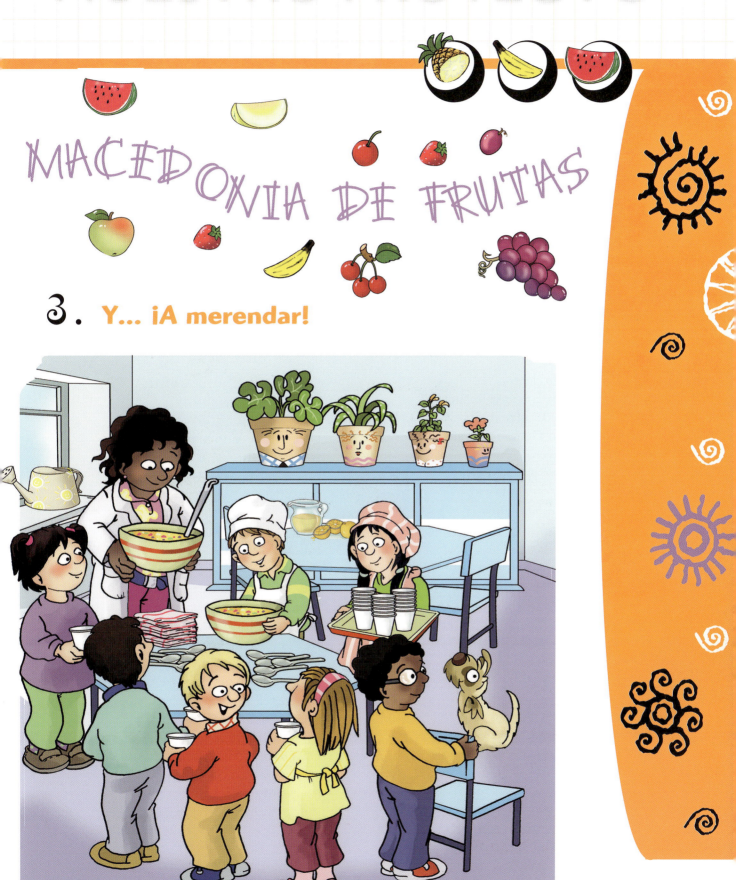

PISTAS CD

LIBRO DEL ALUMNO

UNIDAD 1 ¡Hola!
Pista 1 El español en el mundo.
Pista 2 Canción: Hola, España.
Pista 3 ¡Hola! ¿Cómo estás?
Pista 4 Canción: ¿Cómo te llamas?
Pista 5 Canción: José se llama el padre.
Pista 6 La familia de Rubén.
Pista 7 Canción: El abecedario.
Pista 8 Los números.
Pista 9 Canción: Dos manitas.

UNIDAD 2 Cantar y jugar
Pista 10 Canción: El rock de la ovejita.
Pista 11 La leche.
Pista 12 Más números.
Pista 13 Cosas de clase.
Pista 14 Canción: Pon, gallinita, pon.
Pista 15 Huevos de colores.
Pista 16 Canción: El jardín de la alegría.
Pista 17 Más números.

UNIDAD 3 Ven a mi fiesta
Pista 18 Canción: San Fermín.
Pista 19 Los meses.
Pista 20 El calendario.
Pista 21 La casa de Ana.
Pista 22 Canción: El patio de mi casa.
Pista 23 Canción: Cumpleaños feliz.
Pista 24 ¡Bravo!
Pista 25 Yo sé.
Pista 26 Me gusta.
Pista 27 ¿Jugamos?

UNIDAD 4 Mi cuerpo
Pista 28 Mi cuerpo.
Pista 29 Canción: Juan Pequeño baila.
Pista 30 En mi cara redondita.
Pista 31 El retrato.
Pista 32 Soy un monstruo verde.
Pista 33 Monstruitos.
Pista 34 Canción: ¿Qué me pongo hoy?
Pista 35 La ropa: yo llevo…

UNIDAD 5 Érase una vez…
Pista 36 La ratita presumida.
Pista 37 Canción: ¿Qué es ese ruido?
Pista 38 Adivina adivinanza.
Pista 39 Canción: La gatita Carlota.
Pista 40 Canción: ¿Qué ves ahí?

UNIDAD 6 Me gusta la fruta
Pista 41 Canción: Me gusta la fruta.
Pista 42 ¡Me encanta!
Pista 43 Verduras del huerto.

CUADERNO DE EJERCICIOS

UNIDAD 1 ¡Hola!

UNIDAD 2 Cantar y jugar
Pista 44 ¡En español!

UNIDAD 3 Ven a mi fiesta
Pista 45 La casa.
Pista 46 Pedir permiso.
Pista 47 Números de color.

UNIDAD 4 Mi cuerpo
Pista 48 Mi retrato.
Pista 49 Monstruitos.
Pista 50 Colega se viste.
Pista 51 La ropa: yo llevo…
Pista 52 Descripciones.
Pista 53 ¿Qué monstruo es?

UNIDAD 5 Érase una vez…
Pista 54 ¿Tienes mascota?
Pista 55 Carlota y Micifú.

UNIDAD 6 Me gusta la fruta
Pista 56 Me gusta la fruta.
Pista 57 ¡Me encanta!
Pista 58 El rap de Rubén y Julia.